清 陳鏡伊編

道德叢書 之九

考試佳話

得名類
復名類
失名類

世界書局

考試佳話

星雲書

考試佳話

道德叢書之九

江蘇海門陳鏡伊編

目錄

上編　得名類

中編　復名類

下編　失名類

卷有三字
不敢完卷
結句駭人
卷爲粉碎
店主不禮
假冒處名
行止有虧
受人賄賂
恃才傲物
誤人終身
以此除名

卷有四字
不成一字
無母之人
三不羞
革退舉人
神告勿取
受賄殺人
逢人詆毀
處館曠職
誤人子弟 二則
天榜除名

科甲削盡
削盡祿籍　涎色
父母飲恨
淩虐寡嫂
悔無及矣
寃孽相尋
解帶自經
墮卷妒人

天削祿籍　拆婚
潦倒終身
路人視親
荒淫者戒
妻忿而縊
碎磁刺喉
爲惡不悛
黜涉靡定

考試佳話　道德叢書之九

江蘇海門陳鏡伊編

上編　得名類

三場曳白

句容某生博學能文。好行陰德。値鄉試無資。得親友贐儀十餘金。抵省寓東花園地藏菴。聞鄰舍有老嫗失養。不得已而賣媳者。分離前夕。哭甚哀。訊其子則多年遠出矣。生惻然。爲輾轉作計。詭作其子家書。言「久商獲利將歸。因結賬暫留。先寄銀十兩以資家用」。明發投之。老嫗得銀事遂解。生復借貸入闈。夢有神告之曰：「子獲雋矣。然必三場俱曳白乃妙」。醒而竊笑荒唐。題紙下方欲握管恍惚夢神呵止之曰：「子欲落孫山外耶。卷有字榜無名矣」一生仍不信。靜坐搆思。而心如廢井。緒似棼絲。日已將夕。不能成一字。繼且神思困憊。覺入睡鄉。及覺見提筐出場者踵相接。無奈何亦交卷而出。聞藍榜已揭。趨視無已名。乃勉入二三場。遂坦然曳白。迨揭曉。則已高標第二名。正錯愕間。有飛騎遞某令札至。啓視則闈稿悉具。令固名進士。由庶常改外。派作收卷官。深以不與衡校爲恨。得闈題。技癢難禁。默成三藝。適接生白卷。袖歸寢所。疾寫發謄。欲以試內簾之眼力。而惟恐生之不再來也。繼得二三場卷。俱一律曳白。益大喜。始終完其卷。塡榜知已奪魁。意得甚。故密札以達之。生詣謝。令笑問。君何惜墨。乃爾生以夢告。問有何陰德致此。生謙言無之。固問。因微言場前寄銀事。令拱手曰：「是矣。

子代人作家書天遣予代子作場藝又何謝焉報施之巧如此遇合之奇又如此夢中神語之不憚煩又如此一善行之所係不綦重哉

一枝禿筆

浙有二生俱春秋有名秋試前一夕一生密取彼生謄眞筆嚼去其穎及入場抽用己盡禿矣慟哭欲棄卷出假寐間覺有促之寫者起視筆依然完好寫畢仍禿筆也交卷至二門遇彼生仍問曰「佳卷得意否」謝曰「但得完卷耳」其人面發赤明日嚼穎生貼出不得終場禿穎生竟魁選可見損人器物徒自損耳何損於彼

偶然中舉

明狀元曾鶴齡。永樂辛丑會試。與浙江數舉人同船。都是年少輕狂。議論鋒出。曾公爲人簡默。若無能者。衆舉人取書疑義問之。曾俱遜謝不知。皆笑曰：「彼偶然中舉人耳。」因呼爲曾偶然。已而衆皆不中。曾中狀元。乃以詩寄之曰：「捧領鄉書謁九天。偶然趁得浙江船。世間固有偶然事。不意偶然又偶然。」

卷出箱中

宜興縣穆大勳。順治辛丑進士。甲午舉於鄉。年十九時。本房郝翀翰取卷已足。餘卷束置竹箱中。中秋之夕。已就寢。聞箱中剝啄聲。疑爲鼠。卷解部。恐囓損。呼吏啓箱視之。無所有。仍鎖訖。俄而聲又作。復令啓視。逐束抖檢。卒無他。姑置之。明晨則見一卷從箱口移動而出。少許。郝乃大駭。指示諸役。役盡驚。起箱出卷。亟加品題。呈主考。遂取中出闈後大勛謁謝。適舉子三人同見。甫就座。郝公亟問孰爲繆兄者大勛應諾。公曰：「子之獲雋也甚異。」大勛罔測。公曰：「兄平生有何陰德。」謝無有。問其父若祖。謝如前。公曰：「必有陰德。試詳之。」大勛乃曰：「只有一事。或合天心。某父爲外郎。敝邑某鄉三村鼎立。某宦欲造墓其間。三村尼之不果。造宦唧之。張提臺在鎭。宦爲言三村搆叛。已得令發兵屠勦。令下邑。邑侯召某父語之。父言今若日中往。將竄散。須夜半可勦絕無遺。副上令也。」侯以爲然。父急屬密戚徧語三村。大兵至矣。可速去。三村人遂竄走。兵以二鼓行。不得一人。所屠牛羊犬豕而已。」郝公向天拜曰：「有此陰德。誠宜顯報。予闈中得子卷。其異爾爾。子年少登科。行將成進士。須做好官。福正未艾也。」辛丑登第。宰於嘉善

卷移案上

清惠有聲。

甫田林某會試北上，道經吳江，泊舟高樓下。夜半樓中火起。一露身少婦從樓窗躍出，墜林船。林見其寒，解狐裘令自擁之。謂曰：「爾少婦，我孤客，舟中不便久留。」乃載往彼岸，送至僻處，揚帆竟去。是科成進士，偕一吳江同年謁房師。房師詰林曰：「初閱賢契卷，棄之，旋夢至公堂，見關夫子批卷面云：裸形婦，狐裘裹，秉燭達旦。爾與我晨起，見此卷已在案上矣。子必有大陰德，可告我。」林述前事。吳江同年忽下拜曰：「墜樓人，我妻也。是夜我他出，樓下一婢一嫗俱為灰燼，度樓上亦不免。平明蹤跡得之，見狐裘燦然，疑有私，斥歸母家。不意年兄活其命，又全其節。」房師喞喞歎異幷命同年生亟。歸合破鏡焉。林後官至侍郎。子孫累世登第。
一念無邪。登進士官侍郎。世科甲。神明與之。房師異之。同年拜之。
天下敬之。後世傳之。榮孰甚焉。略一涉邪。不知若何墮落矣。此際必當猛省。

現成舉人

徽州程孝廉濱溪而居。溪小橋窄。一女子探親過之。墜溪中。程急遣人抉救。衣履盡濕。不能歸。程命妻爲之烘燎。日暮移宿館中。令妻與同宿。且日送歸。舅姑聞之曰：「媳非完女矣」議解婚。孝廉力白其事。乃止。既嫁一年而夫亡。遺腹生一子。孀婦紡織敎讀。嘗流涕語之曰：「汝若成名。當報程孝廉先生之德。」其子弱冠發解。丙辰試京師。卷已完。忽大哭。程適與鄰號。問之。少年曰：「文頗有同鄉憐其貧復湊集十餘金遂孑然抵都拮据入場竟得中式觀政刑部為大司寇陳望坡先生所賞識不數年以郎中出為監司旋陳臬湘中開藩歷下復入為光祿卿

倉皇投卷

吉水羅倫篤志潛修家貧甚太守囑屬吏周之謝不受三十舉於鄉赴禮闈僕於旅舍拾一金釧匿之行數日公患貲缺僕因出釧告以故公大驚欲親送還僕曰「恐悞試期」公曰「此必婢嫗遺失萬一拷逼致死是誰之咎寧不及試毋使人死於非命也」返至其家主母方笞婢夫又詬其妻妻憤欲投繯婢亦欲自盡家如羹沸公出釧還之即刻起行觀者咸稱為狀元至京已二月四日倉皇投卷遂魁天下

草草完卷

仁和朱子元勤學砥行。樂行善事。壬午春以科名事禱仙降鸞批曰：「大凡中科第者。必其先世積德。自身無缺。行方得登第。臨時猶覈檢善惡。嚴於裁取。子自是科目中人。還要細查功過。尙有待」至七月再禱。則示曰：「子今科中矣。」時子元以未獲錄科爲疑。仙曰：「子有二善事。感動天庭。其一竭力安葬兄嫂四柩。其一爲平民挺身訟冤。旣拯彼難。絕不受私。」此子元春夏間所行事。聞之悚然。已而大收。子元抱痢不能往。子弟扶掖以入。草草完卷。出場。中六十九名。

便宜功名

順治丁酉。科塲之役。天下震慴。忽金陵一老僧。倡言於市曰：「我有買舉人門路。極便宜。極穩當。又不怕敗露。孰從我買。』或疑其癡。姑訊之。僧曰：『買舉人常價須三千兩。我只要三百兩。又不消一時兌出。豈不便宜。保人得力。百不失一。豈不穩當。天做賣主。朝廷亦管不得。那怕敗露。』問其何說。曰：『三千功求舉人。袁了凡之定價也。布施錢百文銀一錢。爲一功。蓮池大師功過格之定法也。舉成數而言。三千功當用三百兩。還有不費錢之善事。亦有所費錙銖。而功德無量者。名爲三百金。其實不消數十兩便可功行圓滿。此便宜之說也。人若有願。天必從之。精誠所至。金石爲開。何況場屋神靈活現。豈有積德求名。而終身不遇者乎。此穩當之說也。行賄關節。全要秘密。一人知之。其機便泄。而積功行善。則惟恐人之不知。天之不知。朝廷之不知也。此不怕敗露之說也。』問何人作保。曰：『心是也。善心不堅。則保人不得力。雖價錢如數。天亦未肯即賣。若念頭果決。雖止半價。天亦將賒與之矣』。由是觀之。求登科第。本非難事。況有放生捷法。事半功倍。人人可行。即人人可以得第。特患人善念不堅。功行難滿耳。心誠求之。則張陶二公。所費不過數金。而鄉榜同登矣。徐公用三十金。不特舉人改為進士。縣尹且轉為方伯矣。其機至捷。其效如神。欲登雲路者。盡取法焉。

提早一科　放生

會稽陶石簣與友張芝亭。俱慈心愛物。一日同過大善寺。見鱔魚數萬。陶謂張曰：『我欲買放。奈力弱。兄盍倡募成之』。張即先出銀一兩。衆湊成八兩。買而繞城放之。至秋。陶夢神云『汝未該中。

緣汝放生功大得早一科』放榜果中張亦中

連中三元

青州王曾赴試京師路遇母女二人哭甚哀問之曰「少官錢四萬止有此女將賣之以償旦夕分離所以悲耳」王謂其母曰「盍賣與我」以白金如數與之令其償官約以三日娶女逾期不至其母訪至王所已行三日矣留書一封令其擇配後連中三元

隨處方便

某生赴京兆試夢其父曰「冥司命我巡視科場矣」子問已功名父曰「終身秀才」子泣拜求之父曰「汝能效鎭江太守葛繁爲人便可奪命此外無法也」是科果不第乃謁葛師請之問何陰德見重幽冥葛曰「余生平喜行方便利人事日必四五條

今四十餘年未嘗忌生問如何利人葛指坐間踏子曰「即如此物置之不正便蹴人足予爲正之若人饑與食渴與飲言語聽作有可利於人者隨時隨處皆可爲也」生拜受教力行數年聯捷登第

隨事積功

薛玠舉進士前一月夢其父同二老一身半小一身絕小二老曰「你止道中進士容易先要考我們陰隲途間受了多少辛苦方得汝榮顯吾兒當積陰功以遺子孫」玠問二老爲誰父指曰「半小者汝祖絕小者汝曾祖也」玠甦爲述其語因隨事積功子孫皆登第不絕

崇義可風

桐邑生陸日新正貢乃沈惟籓也。因跌損。縣學送陪貢陸生就試。沈自揣狼狽。語陸曰：「我當讓君」言訖淚下。陸惻然曰：「兄病尙可瘳。何遽讓我」値洪宗師考。陸扶沈至案前稟曰：「沈某昨偶跌損。正在調治。幸寬試期」學院賛美。從其所請。沈得貢選學訓。後陸亦貢出仕。壽八十餘。子懋元登乙丑進士。

衆去獨留

江文輝爲諸生就試。友人馮旋墮水死。同伴以試迫散去。江獨留殯之乃去。及至。試事已畢。人皆以爲迂。江自若也。來科聯捷南宮。

不談人短

程皓性周愼。生平不談人短。每於朋輩中。見有譏彈人者。輒徐辨曰：「恐告者過耳」更說其人美事以實之。後聯登甲第。官刑部郎中。

小善必揚

趙籍與人交。見人有小善。必表揚之。又勸以某事亦善。可勉爲某事似善而實惡。不可爲。於揚善中勸善。於勸善中阻惡。終身行之不倦。後享上壽。二子俱成進士。

常存仁恕

楊旬爲夔州推司。奉公四十年。家無貲產。有子入試。夢神告曰：「汝父陰德有感。汝將貴。須改名椿。」果中第。六會試前。又夢神預告以題。中九十六名。殿試奪天下魁。既榮歸。旬示以三囊。開看第一囊。有三十九文。當三錢。第二有四千餘文。折二錢。第三則萬餘小錢。椿問其何用。旬曰：「我數十年來。詳讞罪囚。有從死罪減爲流徒者卽投一當三錢有從流徒減爲杖徒者投一折二錢有從杖徒而改爲釋放者投一小錢今汝僥倖皆食此之報也爲官日宜體此意常存仁恕」椿拜受敎居顯秩有聲

天理難欺

嘉慶己未鼎元姚秋農學使名文田浙江歸安人也己未歲元旦有人夢至一官府聞喧鬨之聲曰「狀元榜出矣」朱門洞開兩緋衣吏擎二黃旗出旗尾各綴四字曰「人心易昧天理難欺」醒而不知其爲誰也及臚唱姚公第一人有以此夢告之者公思之良久瞿然曰「此先世高祖某公語也」公憲皖江時獄有二囚爲怨家所誣陷死罪公按其事無左驗將出之怨家獻二千金於公請必置之死公曰「人心易昧天理難欺得金而枉殺人天

不容也」屏不受卒出二囚於獄旗尾所書得無是歟「夫公庭片語天聽式憑百年後卒使其雲礽大魁天下司民命者可以興矣。

謙光可挹

袁了凡曰：每見文人將達必有一段謙光可挹辛未計偕同袍十人惟丁敬宇最少極其謙恭予謂費錦坡曰「此兄必第」費問故余曰「惟謙受福今十人中有恂恂不敢先人如敬宇者乎有小心敬畏受侮不答如敬宇者乎人能如此天地鬼神方將佑之豈有不發」果中式丁丑在京見馮開之虛已斂容大變少年之習其直友李霽岩面攻其非未嘗以一言相報予告之曰「福有福基兄如是今科決第矣」已而果然壬辰入都見夏建所謙光

逼人。歸告友人曰：「凡天將發其人也。未發其福。先發其慧。此慧。一發。則浮者以實。肆者以斂。建所溫良若此。天啓之也」及榜發果捷。

父子同登

范元之貧士也。與其子過江。見岸傍有遺金一袋。語其子曰：「世人以財爲命。故命綦重矣。而往往以殉財死。匿之不忍。我與爾在此守待」俄見一婦哭而來曰：「夫久繫獄。昨變產營救。急遽亡此。夫命休矣。妾何生爲」父子驗實還之。明歲同榜登科

科甲綿綿

仁和許堯堂樂善好施。活人甚多。其先自維新公以下皆佐幕。多陰德。故其後科甲綿綿。爲浙省之冠。堯堂之子鉞。乾隆戊午舉人

孫學范乾隆戊子舉人。壬辰進士。學曾壬子舉人。學范位不甚顯。又多積德。是以身享奇福。蓋五世同堂。五子登科。皆古今罕有之事。學范則兼而有之。非其德之至盛而能然乎。學范之子乃來乾隆癸卯舉人。乃大嘉慶辛酉舉人。乃濟庚申舉人。已巳翰林。乃穀道光辛巳舉人。乃普嘉慶丙子舉人。庚辰榜眼。乃釗道光乙未翰林。孫桂身乙酉舉人。曾孫之瑞亦乙酉副榜。學曾之子乃安道光壬辰翰林。是皆爲樂亭公後也。樂亭公之姪曾孫乃賡亦嘉慶丁丑翰林。乃裕嘉慶己卯科。與乃安同榜舉人。姪元孫立身辛卯舉人。謹身戊子與乃釗同榜舉人。癸巳進士。至於食餼游庠。每歲未嘗或間。殊令人豔羨不已焉。可見大福必從讀書積善中來。古人云。「小善報近。大善報遠。報近者福小。報遠者福大。報愈遠者福愈大，今於許氏見之矣。」

盡心教徒

王詰應試，文甚佳，遇一相士，叩之，相士曰：「君相清高，文才必美，但過寒，不能發耳。」發榜果黜，復叩終身，相士曰：「如君之貌，豈敢輕許，然相從心生，君種大德，即能回天。」詰歸，自思家貧，濟人利物，不能為矣，第我平日見為師者，多誤人子弟，我今盡心教徒，或者亦是種德。三年後再試，復遇前相士，請相之，許其必中，詰曰：「何前云無而今云有耶。」相士曰：「我相人多，不能記憶，或者積善改變乎。」詰曰：「我寒儒，無錢積善，但蒙指示後，惟盡心教授生徒耳。」相士曰：「教人成德成才，便是大善，必中無疑。」發榜果中。

丰神頓異

宋郊宋祁兄弟。同在太學。有僧相之云。「小宋當魁天下。大宋亦不失科甲」。後十年大宋遇僧於途。僧驚曰：「公丰神頓異。如曾活數百萬命者」。郊曰：「貧儒焉及此」。僧曰：「肖翅之物。皆命也」。郊良久曰：「旬日前。堂上有蟻穴。爲暴雨所侵。吾編竹橋以渡之。此豈是耶」。曰：「是矣。小宋今年大魁。公終不出其下」。及唱第。祁第一。郊第二。章獻太后謂弟不可先兄。乃以郊第一。祁第二。郊後封鄭公。

成全婚媾

康熙癸酉秋。海鹽徐岵年偕其姪容赴省試。後詣于墳祈夢。是夕容夢忠肅公謂曰：「汝中式矣」。示以册上批清晰二字。且曰：「

歸語汝祖吳三桂一事。當報汝甲第也。」醒語其叔。亦不解所謂。既而榜發。容果入彀。謁其本房。閱卷中並無清晰批語及主司刻試錄。選容春秋墨義一篇。其批適與夢合。因共駭然。而終不悟所謂吳三桂者。復詢其祖。時年已及耄。亦茫然不記。久之。嘆曰：「是矣。此事汝父亦不知之。吾家曩有婢。名三桂。有僕姓吳。因姦敗露。汝曾祖治之。幾瀕於死。吾力爲解勸。即以三桂配吳。三十餘年矣。不意爲神明所鑒。貽福於汝。冥冥之中。因果眞不爽也。」

三却奔女

陶大臨年十七。美姿容。赴鄉試。寓有鄰女來奔。三至三却。遂徙他寓。寓主夜夢神語曰：「明日有秀士來。乃鼎甲也。因其立志端方。能不爲奔女亂。上帝特簡。」寓主以夢告陶。陶益自砥礪。後中榜眼。官至大宗伯。

月白風清

太倉陸容美丰姿。天順三年應試南京。館人有女。善吹簫。夜奔公寢。公紿以疾。與期後夜。女信而返。遂作詩曰：「風清月白夜窗虛。有女來窺笑讀書。欲把琴心通一語。十年前已薄相如。」遲明託故去。越數日。有家書來。乃其父夢郡守送旗匾鼓吹甚盛。匾上題「月白風清」四字。父以爲月宮之兆。作書報公。公益悚然。是秋中式。卽聯捷。仕至參政。

正氣可嘉

松江曹生應試。寓中有婦來就。曹驚。趨往他寓借宿。行至中途。見燈火喝道來。入古廟中。擊鼓升堂。曹伏廟前。聞殿上唱新科榜名。

至第六。吏稟曰：「某近有短行。上帝削去。應何人補。」神曰：「松江曹某。不淫寓婦。正氣可嘉。卽以補之。」曹且驚且喜。及揭曉。果第六。

懼累陰德

金陵有一生應試。美丰儀。旅邸對門。有宦家女見之。屬意焉。試畢。遣婢邀生相會。生懼累陰德。不敢往。同寓一生竊知之。乃冒爲生赴約。其婢因黑夜不辨。引之入。相與就寢。適女之父歸。突入見之。大怒。皆殺之。明日放榜。其不去之人已登第。因自喜與家人曰：「使我若往。已登鬼籙矣。」

遇色不淫

溧水湯聘。順治甲午就試省城。病劇而逝。覺魂自頭出。求觀音大士指引。大士令謁宣聖繼謁文昌聘已註名祿籍云「某年月日。湯某買舟詣臯。舟人少女美姿善謔。急欲就湯湯正色拒之。當前程遠大亟令返魂。」乃告曰：「見汝遇色不淫。故來相救汝宜信心樂善。今日人心險薄。鬼神司察極嚴。往昔功名富貴生來便是。近來善惡册籍。一月一造。無俟後日來生。始有果報也。」諭畢即甦。遂領鄉薦。中辛丑科進士。

恐驚天神

王華餘姚人。館於富家。夜深有一妾出奔。公不納。妾出一帖示之。蓋主人親筆云。「欲乞人間子。」公批於後曰：「恐驚天上神。」次日即辭館去。明年其家設醮拜章。道士久不起。主人訝之。道士曰：「適至天門。見放來春狀元榜。」問記名否。答曰：「未見名只見馬前彩旗上書欲乞人間子恐驚天上神二句」次年狀元及第果王華也。

不可不可

餘干陳醫師嘗捐藥醫活一貧人。病家感之。其母命媳伴陳宿以報德。陳拒之。婦曰：「姑意也。」陳曰：「不可。」婦強之。陳連曰：「不可不可。」其婦色美而好淫。陳幾不能自持。遂取筆連書曰：「不可二字最難。」翁堅拒之。天明乃去。後陳醫之子應試。主考棄其文。忽有人呼曰：「不可。」復閱其卷。又欲去之。又聞連呼曰：「不可不可。」因細閱其卷。決意棄去。忽聞大聲連曰：「不可二字最難。」考官知是陰德使然。遂高中之。

力善上進

黃巖諸生楊琛樂善而貧。未第時。邂逅星士曰：『按君格局。可望科名。但行運未爲佳境。且臨場月建。恰值惡曜。若急欲上進。非力善。不能。』琛感其言。適見鄉人醵金。刻感應篇。心皇皇欲捐貲而苦無力。勉助刊十七號一版。然終耿耿也。甲午春。夢神告曰：『已如汝所刊。排汝十七名矣。』是科榜發。果中十七名。丁酉春。琛復刻小卷送人。以便舟車持誦。又中進士十七名。

畀金救溺

譚元春父。嘗客襄陽。舟且發。忽聞岸上悲啼聲。急停舟問之。則里役遺失多金。無以償官。欲赴水死也。翁慰之曰：『汝金固不失。』隨取一大函畀之。其人曰：『此非吾金。安敢妄取。』翁曰：『汝但取去。不必再言。』後丁卯歲。元春夢神告曰：『宜自策勵。爾父襄陽事發矣。」驚悟以夢告母。母具述前事。是年鄉薦第一。

中編　復名類

痛自懺悔

李斌如多才博學。兼善武藝。困童試二十餘年。知府張化鵬愛其才。文試拔置第一。又以弓馬應武考。亦膺首列。人謂入泮無疑矣。及文宗按臨。斌如領卷入號。值天雨。足穿釘鞋。將卷置案上。低頭穿襪。卷落地。穿畢覓卷。已爲釘鞋蹂躪粉爛。哭稟文宗。因無換卷之例。被逐出。武試馬蹶損腰。不能入院。文武兩第一。均屬無用。自是貧困無聊。親友爲圖一村館。可供餬口之資。及負笈到館。是夜忽發山水。一村被衝。自己書籍衾服。隨流飄失。僅逃性命。回家時知府張化鵬已陞廣東運司。斌如跋涉到廣。求其親。目張。適丁內艱。已登程數日。趕至中途稟謁。張見而憐之。曰：「范叔一寒如是耶。吾在艱中。苦無綈袍之贈。有長子某。現爲杭州倅幕中乏人。吾寫書與汝。到彼相投。藉筆墨之役。可權且安身也。」斌如至杭。倅已病危。父書亦不能閱。家人留居外室。不數日。倅歿。斌如舉目無親。將投錢塘江自盡。有一人長髯修眉。形貌甚古。急忙救起。斌如哭訴生平守分。並無過惡。屢遭天罰。好事成虛。其人曰：「上天仁愛。豈有偏私。今之建高牙。豎大纛。累裀而坐。列鼎而食者。皆前世積善修來。而飢寒凍餒。投人不著。亦係前生造惡所致。子今世雖然無過。前生必是造惡之人。若今生塡還不滿。又貽來世累矣。惟存好心。行好事。讀好書。做好人。痛自懺悔。庶幾殃退吉來。災消慶至』斌如聞言遵行。後獲登第。

深自悔悟

丁湜少負才名。性豪爽。酷嗜賭。父責不悛。怒逐之。浪遊京師。經營補太學。南省奏捷。偶過相國寺。有術者謂曰：『君氣色極佳。吾在此閱人多矣。未有如君者。』問其姓名。即大書於壁云。『今年狀元是丁湜。』湜益喜自負。賭益豪。聞同膀兩蜀士挾多貲。即設局延之。湜連勝。得錢六百萬。越數日。復詣寺中。術者一見大驚曰：『君氣色大非前比。即中膀亦無望。何況魁選。』急揭壁上書嘆曰：『壞我名。此言殊不驗矣。』湜驚問故。術者曰：『相人先觀天庭。明潤黃澤則吉。今枯燥且黑。得非設心不良。有謀利之舉。以負神明乎。』湜悚然以實告。且曰：『戲事亦有損乎。』術者曰：『君莫謂此事爲戲也。凡關係財物。便有神明主張。非義之得。自然減福。」湜深自悔曰：「然則悉以反之可乎。」術者曰：「既發眞心。神必知之。果能悔過。尚可占甲科。但恐居五人下也。」湜歸。悉還其所得。是科徐鐸冠榜。湜居第六。

深自悔厲

某先達者家本素封。角丱時。即聯姻富室。其尊人慷慨好施。罄其所積。臨歿時。惟以陰德遺公。公困甚。入泮後。借貸爲娶婦計。而富翁嫌婿貧。陰背盟。賄媒媼。而以青衣易之。青衣固端莊婉淑。公無由知其僞也。後往岳家。里中無賴子。輩以婢壻相揶揄。公密叩諸婦。婦直告焉。先是公嘗夢至一所。朱闌碧瓦。迥異人間。有數女郎。共繡一宮錦袍。問之。曰：「新科狀元服。」諦視襟袖間。朱書二字。

乃已姓名。醒後頗自負。及知娶婢。恚甚。念他年富貴必欲改絃。是夕仍夢至前所刺繡女郎。漠不相顧。視襟袖間字已盡滅。急問其故。女郎漫應曰：「此子近萌一棄妻念。上帝命易他人耳」。瞿然驚覺。深自悔厲。自此琴瑟益調。誓言偕老。不數年大魁天下。累秉方鎮節鉞。

誓改前非

庠生郎綸綬性淫而慧。被姦之婦。多譽之。年逾四十。自知獲罪無計挽回。聽命於天而已。適病後讀訓言有云「曾行惡事後自改悔。久久必獲吉慶」。又云「天道禍淫。不加悔罪之人」。郎躍而起曰：「吾今有以自全矣」。誓改前非。奉行衆善。凡有著作。借徑以勸人。數年貢入成均。子貴晉封。壽九十餘。

悔恨自責

石門鍾朗與徐鑛友善。順治辛卯元夕。徐之叔亦諸生。夢登高閣。見帝君執管點册。朱衣者傳唱。唱第一名鍾朗。帝君色怒。振筆勾卻。唱至十九名則徐鑛也。唱畢。朱衣跪稟曰：「鍾朗事非其罪。」帝曰：「以將來心行定奪。今科榜首舉一嬰兒易之。」覺而述於鑛。至秋。鑛雋名次亦符。榜首余恂字孺子。則舉嬰之兆也。鑛乃語鍾以前夢。鍾悔恨自責。先是有婢懷娠。爲妻鞭責。致投水死。因詣水濱招魂薦度。疏上文昌帝君。願行善事以蓋往失。自此積功累行。孳孳爲善。甲午夏。夢婢曰：「上帝鑒君進德。復君祿位。婢有寃報。亦得請於帝矣。」鍾是秋領解。妻見婢如生前。謂曰：「相公方聽鹿鳴。納一豔姬於虎林。夫人甘之乎。」妻出而告人。人不信。婢推之水。合家驚救無及。鍾登己亥進士。

猛省改悔

田某未第時。丰姿俊雅。里中女多奔之。遂避鄰郡之南山寺讀書。寺旁女奔之。益衆。某心知其非而不能忍。忽見一神甚短小。初形之夢寐。繼則白日相隨。謂之曰：「汝原有大福。因花柳多情。削去殆盡。上帝命我監視。若自今改行。猶不失爲進士。御史子孫半祿」某猛省改悔。已而果第。官止御史。諸子享年六十者。自三十以後。即貧困徹骨。七十。五十。俱以半爲差。

洗心飭行

吳江吳茲受爲楚令。入闈得歐陽生卷。已定魁。臨發榜。以一言刺目。易之。即歐陽同邑士也。其士來謁。年未弱冠。周曰：「君邑有歐陽某識之否」士曰「鄰家也」吳曰「君有佳兆否」士曰「某父夢魁垣以亞魁匾額詣歐陽家竈神出迎有婦蓬首白衣力挽之乃移至某家」吳曰「君試偕之來」叩之曾與鄰婦通婦爲夫殺某幸免後歐陽洗心飭行登順治甲午賢書

改過自修

江陰張畏岩積學工文明神宗甲午科閱榜上無名大罵試官一道士在旁笑曰「相公文必不佳」張遷怒曰「汝安知之」道士曰「聞作文貴心平氣和今罵聲如此不和平甚矣文安得佳」張不覺屈服請教道士曰「命不該中文雖工無益也然造命者天立命者我力行善事則自求多福矣」張曰「我貧儒無錢行善」道士曰「善由心造力到便行常存此心功德無量卽如

謙虛一節。並不費錢。何不自反而罵試官乎。』張由是領悟。改過自修，丁酉，夢至一闕，見試錄册子中多缺名，一吏語曰：「科第陰間三年一考，册內缺名，皆本該中式，因其新有薄行而去之者也。」指末一行曰，『汝三年來，身心謹愼，或當補此，』是科果中一百五名。

恐懼修省

壬午孝廉謝廷諤嘗語人曰：「吾昔於丁卯元旦，不出賀客，鬮題作文，有某年伯來賀，直入書屋，云，「夜來夢觀天榜，見子名高列，必中無疑矣，」余疑其戲，及入闈，首題君子謀道章，恰係元旦所鬮得者，心異之，謂夢當不妄，已而揭曉，竟見遺，是夕夢先祖告曰：「汝本今科中式，因有二事不好，致遭冥責，豈不聞百行孝爲先利己害人之事。儒者所當戒乎。今當勇猛自新。尙可復中。寤後追思五月間曾汚父衣。爲父所責。不合抵觸數語。又得賄數金陷一人於杖。二事誠有之。因恐懼修省。勉善不懈。閱十六年至壬午始獲售焉。」

猛省回頭

萬曆壬子武進張瑋同某生應試南京。抵寓之夕。主人夢迎天榜解元乃某生也。具以告生。生揚揚得意。主人有二女樓居甫及笄聞而心動。使婢招生。自樓縋布爲梯。生拉公俱登。及半。公忽猛省曰「吾來應試。奈何作此損德事。」急墮身下。生竟乘而上。是晚主人復夢天榜。見解元已易張名矣。大駭。具以告生。且詰其近作何事。生面赤無以應。發榜。果然。

力行善事

項夢原初名德棻夢已名在桂籍中。以汚兩少婢。爲文昌削去。遂禁戒邪淫。力行善事。後夢至一所。見黃紙榜。第八名爲項姓。中一字糢糊。下爲原字。旁一人曰：「此汝天榜名次也。因汝近來改行。故得復在此。」既覺。易名夢原。壬子中順天二十九。己未會試第一。皆疑夢中名字之爽。及臚唱。乃在第五。方悟合三及第數之。恰是八也。且鄉會榜皆白。惟殿榜獨黃云。

復畀科名

蕭山韓其相少工刀筆。久困場屋。且無子。已絕意進取矣。雍正癸卯在公安幕。夢神語曰：「汝因筆孽多。盡削祿嗣。今治獄仁恕。畀汝科名及子。其速歸。」未以爲信。次夕夢復然。時已七月。答以試期不及。神曰：「吾能送汝也。」寤而急理歸裝。江行風利。八月初二日抵杭州。以遺才入闈。果中式。明年舉一子。韓每爲刑名幕友言之。

下編　失名類

卷書告字

諸生某。豐才博學。屢落孫山。而志不衰。年六旬餘。復試棘闈。三藝成。頗自喜。剪燭朗誦。正擊節時。忽一人搴簾而入曰：「告字某書一時失記。公幸教我。」因仰掌索書。生笑曰：「腐頭巾。此字亦忘卻耶。」遂援筆書其掌。其人遜謝去。生展卷披閱。不覺驚叫。鄰號競出。視生試卷上。一告字。墨跡淋漓。愕眙問故。生訴其由。乃納卷出。蓋生因以訟師世其家者。

卷書狀字

江南郁生負儁才。脾睨儕輩。七試膺首薦。輒爲主司擯黜。乾隆丁卯科入闈。脫稿後。文甚佳。自信必售。忽見魁星跳舞其前。曰：「汝明春狀元也。可書狀元二字於我掌上。」生大喜。捉筆纔書一狀字。魁星倏反手。撲印卷面而去。遂登藍榜。以是懊恨而死。蓋生善刀筆。每唆人爭訟。代作狀詞也。

卷有三字

浙西某生授徒他郡。一夕歸家。疑妻有外遇。跳踉奮擊。妻展轉乞哀。手握一鞋而斃。後在闈中。見妻掀簾入。蓬頭跣足。握鞋如死時。數之曰：「爾殘刻無良。吾已訴之冥司。尙望功名耶。」某稽首乞哀妻以掌授之曰：『吾奉命來，難以空返，可書我來矣三字於上，得以覆命，我即去耳。』生捉筆書之，遂不見。審視，乃書於卷上也。

卷有四字

順治辛卯，蔣虎臣太史主試浙闈，見一卷甚擊節，業已定元矣。二場不至，傳詢外簾，知以卷面有好談閨閫四字被貼。榜發後，召本生詢之，云：『某亦不知，但坐號內見有婦人入號，磨墨未幾，婦人去，而卷面已有此四字。』蔣大詫異，心知其平時必喜造言毀謗，而婦人有啣恨至死者，因爲子孫輩諄諄相戒云：『凡人有過，不可指摘，況閨閫乎？故談閨閫者，無論其事之有無，而罪必不可恕矣。以一言而喪終身功名，可不畏哉。』

不敢完卷

士子浙闈有一婦人進號。隨走隨喚云『東陽王二』舉號大駭。以火燭之遂不見。因挨尋至內果有一王姓行二者具以告且詰其故其人思之良久曰『數年前聚族戲談偶言及一村婦守節。以爲難信婦聞之憤恨而死得無是乎』因懼不敢完卷收拾出號墜階傷額扶至寓翌日卒。

不成一字

沈康富家子也。靈敏能文章。見者期以大器。康日與燕朋往來非尋花問柳卽撏蒱酣飲父責之不改入闈之夕康夢朱衣神曰『子今科榜首也。不率嚴訓令老親終日憂鬱上帝已黜子科名矣尚望中耶』康寤神沮不能成一字白卷貼出。

結句駭人

天門諸生聶某夙振文名。設帳同邑鄒紳家。鄒需次銓曹。止女婢供役使聶挑之。鄒妻詈而辭焉。聶思掩蓋其非。揚言曰「鄒夫人效尤文君。我恥學相如。遂託故歸耳」鄒返。聞之憤甚。詣城隍焚牒申訴。夜夢神告曰「渠天祿頗高。非我能制。可赴府訴之」鄒寤。如神言。一日聶方在書舍。忽戰慄大呼曰「有府役傳訊。不可緩」卽瞑目狂奔。家人挽之不止。若有驅逐者。抵郡。泥首神前。自批其頰。述前後事甚悉。觀者如堵。鄒乃具扁額以答神佑。學使來郢。歲試題爲我四十不動心。閱聶文頗佳。欲置前茅。結句忽云「今試置夫子於花街柳巷中。燕姬在前。趙女在後。夫子之心動乎不動。曰「動。動。動」學使大駭。置諸劣等。遂發狂。自言冥差來拘。竟自刎死。

無母之人

明詹公子某因其寡嫂十八歲守志撫養幼叔恩勤倍至少年中鄉榜時尚以寡嫂爲重後不尊敬寡嫂自是屢科不中又後幾科始中進士然其才高貌美詩古文字無一不善臚唱日衆薦爲大魁上不允而薦者不已上以卷投地曰「天下豈有無母的狀元蓋殿試策中天地父母四字獨失母字衆皆不見耳」降第二甲選縣令二年不得其死噫使非負寡嫂之恩焉知不大魁天下而久享富貴乎惜哉

卷爲粉碎

張安國有文學而無行檢淫一隣女致女死於非命後應試主司奇其文欲取作元忽聞空中叱曰「豈有淫人害人之人作榜首

者。耶」主司忽仆地。及甦。起。視其卷。已裂。為紛碎矣。放榜後。主司呼安國告其故。安國慚愧而卒。

三不羞

浙江呂盈之性好矜誇。一誇能詩。遇景覓句。到處留題。一誇博古。高談闊論。漫無根據。一誇家世。太公是其始祖。夷簡公是其近宗。人皆笑之。彼靦然自若也。因皆呼為「三不羞」。時逢科試。偶得列名。遂欣欣得意。逢人自矜曰:「此番入闈。當壓倒羣英矣」。赴省寓居湖側。日覽遊女。艷者訪其姓氏。登記之。每當醉後。按册狂言曰:「我登第做官。醜妻豈堪作配。某女係上選。當謀為夫人。某女為次選。當謀作妾媵。某之良田。某之華屋。皆可佔而有也」。一夜房主夢神告曰:「三不羞。未得功名。便思棄妻。且妄與漁色。侵產惡念已付火神處分矣。爾宜速遣之。庶爾室不同付灰燼也。」
次日房主憶神語。退還租錢。善言婉辭。呂猶作大言曰：「新科解元爾不相與。眞無識之人也。」一忿怒而去。遂遷寓僧舍。酒醉酣眠。燈煤落於書卷。延燒床帳。僧衆驚起。救出已半焦矣。不能入闈。扶病而歸。渾身變成惡瘡。穢氣逼人。其妻難與同住。另室而處。日賣田產醫治。久不能痊。死後人猶掩鼻。由此以觀。呂欲棄妻。而反爲妻所棄。欲佔人產。而自賣其產。嬌妻美妾。未曾到手。先作負痛之鬼。天之報施不爽毫髮。洵可畏也。

店主不禮

宋李元善屬文。赴省試。道過衢州。店主夢土地告曰：「明日有李秀才。至科甲中人。可善待之。明日李至。店主款待甚盛。給以盤費」李曰：「何厚愛如此。」主人告以故。李大喜。因思登第做官。妻貌醜不堪作夫人。當更娶一美者方可。去後店主復夢土地曰：「李某用心不善。功名未遂。更欲棄妻。削去功名矣。」及李試回店。主不爲禮。生問故。曰：「土地知汝有棄妻之意。功名不可得也。」李乃大驚而去。按李元之欲棄妻。不過一念之私。神明却已盡知。削去功名。然則吾人發念之際。冥冥中已無微而不照。安可不愼。

革退舉人

浙中一孝廉。有友窺某妻色殊絕。計欲得之。孝廉爲畫策。飛語入某之耳。謂其妻有所私。某欲出妻。商于孝廉。復力主之。爲作離書。既脫稿。某手錄去。適賣筆者至。購選毫以脫稿塞管中。越三年。爲順治戊戌會試。携筆入闈。忘其脫稿之在內。搜者得之。以違功令杖。責。荷。枷●革退舉人。

假冒虛名

僞名士宋繼濂人呼爲宋三好。謂其生得一副好面貌●飄飄若神。人皆樂近。一雙好手。落筆琳琅。酷似趙雪松。一張好口。隨機應變。對答不窮。又且家道富足。揮金結交。開萬春園。延接天下能文名宿。藏脩其中。評選時藝。刻以已名。一時海內之士。皆奉爲程式。非宋繼濂先生所筆削。不置案頭。其爲人所景仰如此。鄉試主司慕其名。欲收爲門下。預送三場題目。宋央能文者作就。至場中照稿謄眞。榜發。果得高選。因經藝有犯忌處。故未得掄元。主司猶咄咄抱憾。會試亦因名重。遂提南宮。殿試策字畫端妍。欽點探花。居翰苑。宋曩時猶良心未泯。自知假冒虛名。待人謙和。迨居鼎甲。遂忘本來面目。大言不慚。儼然眞名士矣。後天子臨軒。試諸翰林日月五星賦。宋又央同試者代作。作者將稿又另與一人。進呈御覽。查出宋卷與某卷雷同。發刑部嚴審。宋不敢供出代筆之人。與某俱供拾諸地下。彼此抄襲。兩出不知。奏上。奉旨如某者係少年無名之人。尚可原宥。宋繼濂負海內重望。乃盜襲地下棄文以爲已有。無恥。極矣。著革職。宋遂終身不振。

神告勿取

台州舉人左蹕赴禮部試。卷甚佳。房考擬爲第一。忽夢神告曰：「此台州左蹕文也。頃居鄉。受賄若干。爲人請託。致有枉法而死者。今已減折祿算。幸無取也。」遂黜之。及榜發。查對原卷。果左蹕也。未幾。蹕客死燕山。

行止有虧

康熙癸未。江南士子。赴都會試。解元某負才傲物。陵轢同輩。每曰：「今歲狀元。舍我其誰。」同輩不堪其侮。既至京師試期且近。同舍生夜夢文昌帝君陞殿傳臚。及唱名則某果狀元也。同舍生意竊不平。未幾有女子披髮呼冤曰：「某行止有虧。不可冠多士。須另換一人。」帝君有難色。顧朱衣神問之。朱衣神曰：「萬歷間亦有此事。以下科狀元移至上科。其人早中三年。減壽六歲。此例今可照也。」遂重唱名。狀元爲王式丹。且起某大言如常。同舍生告之以夢。某失色曰：「此冤孽難逃。匪特不思作狀元。并不復應試矣。」亟束裝歸。半途而卒。是科狀元果王式丹也。壽六十。

受賄殺人

常州江陰俞生。乾隆某科南闈鄉試。甫畢頭場。卽治任。衆怪而問之。言語支吾。而色甚慘沮。力詰之。不得已始告曰：「言之痛矣。先君宦游半世。解組而歸。病革時。呼予兄弟四人至榻前訣囑曰：「吾平生無昧心事。惟任某縣令時。曾受賄二千金。寃殺二囚。爲大罪惡。昨詣冥司對案。陰報當絕嗣。以祖上有拯溺功。僅留一子。單傳五世。不得溫飽。吾地獄之苦。已不得脫。子孫或不知命。妄想功名。適益吾罪。非孝慈也。汝兄弟其各勉爲善事而已。」言訖而瞑。後兄弟繼死。唯我僅存。鄉試二次。悉被汚卷。昨三更脫稿。倏一人披帷入。驚視之。乃先君也。顏色愁苦。責予曰：「汝既不能積德累功。挽回天意。奈何忘我遺囑。致我奔走道路。辛苦備嘗。且重獲罪。若再不悛。禍卽旋踵矣。隨以手械一擊。燭滅硯翻。遂失所在。予今年二十有五。三登藍榜。不足爲恨。所痛先人負譴。拘繫九幽。行當削髮入山。披緇出世。學目蓮大士。救拔亡靈。幸諸君垂鑒此衷焉。」衆聞咋舌。同號陳扶青作歸山詩以送之。

受人賄賂

陳公才戊午應舉。夢一道人告曰：「子醉魁也。」陳好色。以爲讖已也。大怒道人曰：「子眞當得魁。聯第入中秘。爲司諫。官至巡撫。」陳覺。告表弟華子虔。華曰：「醉乃辛酉二字。應在來科。至辛酉果中」。會試不第。訝夢不驗。歸過濟上。恍遇夢中道人。引至大樹下曰：「天數果定。轉移在子。子鄉舉後。所行五事。受人賄賂。致田三百畝。損德多矣。安保天之不奪爾福。從今修德。或保天年。不然且將奪爾壽矣。」一言訖不見。後陳悔過遷善。僅以訓導終。

逢人詆毀

康熙中江南榜發。羣論譁然。某生獨道之最詳。曰：「某以賄中也。某不能文也。某薄於行也。凡遇人無不娓娓告之。」一夕夢金甲神責曰：「某先世積德。某事親純孝。某有隱德而人不知。汝皆詆毀之。豈謂神明不公耶。汝名已註下科。爲此不特科第無望。壽亦不久。」醒後。病舌死。

恃才傲物

金壇某生。恃才傲物。一日課文畢。拍案曰：「豈有作此文而不飛黃騰達者。」是夕酒酣。步月意謂得志後。某女可娶作側室。某舍可謀作第宅。次夜夢關帝告曰：「神明晝夜糾察。爾祿籍甚高。今科應魁南國。奈爾既懷惡念。又吐狂言。已咨文帝。罰緩三科矣。」

後抑鬱而卒。

處館曠職

昔吳下一名士。年至六十外。一日語其妻曰：「我雖不得發達。幸一生處華館。得以成家立業。」是夜遂夢其父責云：「汝本科第中人。只緣處館曠職。文昌削去桂籍。尚自誇口耶。」

誤人終身

明萬曆間。江南京口張生。蚤蜚文譽。七試不中。禱文昌祠。夜夢帝君責曰：「天罰至矣。尙覬覦功名乎。汝試想十五年來。館修殊豐。凡歷五家。汝不能敎其子弟。反爲改作文字。欺其父兄。誤其終身。汝貧用服食。亦已足矣。猶聚徒賭博。破人身家。爲師者當如是乎。」張方驚寤。俄而其徒因賭而鬭毆死。張株連刑辱。歷年館積罄肅。怏怏以卒。

誤人子弟（一）

譚伯符潛心四書。講解精切。每試居優等。名重一時。延爲西席者。俱富室大家。譚衣服鮮華。爲人和氣。性復機巧。能揣生徒之意。每日功課。不過虛應故事。逢作文。先將草稿改定。方令謄眞。濃圈密點。加以好批。欺其父兄。生徒在館。戲謔言笑。毫無忌憚。譚一味姑容。反在父兄面前。極力誇奬。其父兄以爲子弟實已改觀。感激稱頌。而不知爲譚所誑也。數十年間。誤人子弟不一而足。年踰知命。不得一第。辛酉科復赴闈。寓中擬博學而篤志題。連成兩作。同寓二友。各取其一。熟記場中。首題果如所擬。譚會通兩作。加以潤澤。自謂必售矣。榜出。二友得而譚反失。仰天大恨。思杭州于廟祈夢最靈。乃買舟至杭。到廟寢廊下。夢忠肅公陞坐。呼譚至前。怒責之曰「爾前生是一屠人。殺業極重。因捐五十金。助修文廟。故得轉世。食斯文之報。善報盡。仍當受惡報。況爾教學數十年。功課全無。代改文字。欺誑東家。以致聰明之子。變爲頑鈍。罪較殺人尤重。爾不日將入豕胎。受屠宰之苦。尚望科第乎。」譚後得病。作豬聲而絕。一子痴愚早死。兩孫。一爲盜。一作乞丐焉。

誤人子弟（二）

杭州沈某少有文名。遊京師。富貴家多厚脯延訓其子弟。沈爲子弟代倩文字。以諂主人。主人面試。則多方買囑家人傳遞。雖童婢莫不賄遍。內外蒙蔽。與及門日事賭博而取利焉。歲丁巳。及門斂金援例南歸鄉試。宿泰安州東嶽廟下。夢神切責云「受人厚脯

誤人子弟死期已至尚敢冀功名耶」命笞背四十呼號而醒不數日疽發背痛苦中自供劣迹至鎮江歿於舟次

以此除名

江寧庠生郭某崇禎己卯入塲未放榜時對門楊生謂曰「我近爲陰府判官知君該中五十七名爲某年某月某日江北收租與一田婦苟合于星月之下又汝家一婢爲汝收用不得其死以此除君名矣」後郭果以貧賤終

天榜除名

龍舒劉堯舉買舟就試舟人有女劉數調之無由得間至二塲出院甚早適舟人入市貿易遂與女通是夕劉父母夢神告曰「郎君應得首薦因所爲不義天榜除名矣」及發榜闈中果已擬元

因雜犯見黜。劉大悔恨。後竟終身不第。歡娛有限。悔恨無窮。

科甲削盡

吳地某公子。欲姦一寡婦。與所契友謀之。友即授之計。約某日往。屆期其父夢緋衣神告曰：「汝子當登科甲。因壞心術。盡削去。某友本貧賤。復爲人謀不善。甚矣謀之不臧也。向使力爲諫阻。則命本貧可富也。命本賤可貴也。何至受譴若此哉。可見天無絕人之路。而人自絕於天也。應寸斬其腸。」父驚覺。平時失教。懊悔無及。即至書館。果聞此友哀呼腹痛而絕。公子漸漸發狂。披髮行市。卒不能救。

天削祿籍 拆婚

海鹽舉人鄭旦復。端簡公孫也。將赴禮闈。乏路費。適邑中有富戶以婿貧不能娶。改婚他姓。脯鄭百金。乞邑合批照。即日嫁女。旦復夢端簡公怒責之曰：「汝本應登第。今拆人婚姻。被貧士祖宗申訴我極力救解。理屈詞窮。上帝已削汝祿籍。行且客死矣。可惜可恨。」旦復驚寤。急欲挽回。而已無及。隨呼貧士以前銀給之。使別娶。及計偕被斥。嘔血數升。即附舟歸。不數程而病卒。

削盡祿籍 涎色

嘉靖中。陸仲錫生有異才。年十七隨師邱某居京。對門一女甚美。仲錫與其師屢窺。心動。師曰：「都城隍最靈。汝試往禱。或當湊合」遂禱之。是夜夢為城隍所追。大加呵責曰：「何物小子。敢褻瀆若此。」命查其祿位。吏檢簿。陸某名下註甲戌狀元。邱某名下無所有。曰：「陸某當奏聞上帝。削其祿籍。邱某抽腸。」一夢甫醒。而館僮敲門。報邱先生絞腸痧死矣。後仲錫果貧賤終身。

潦倒終身

濟陰王生素。好。惡。秋試。文甚佳。房師薦之。及塡榜。忽失其卷。塡畢。乃在袖中。房師大悔。召之。見許以他事相補。未幾。房師轉銓部。生卽輸粟入成均。及赴考。房師正在選司。見生大喜。密令揀一美缺。借恩例預選。至期。房師以父艱謝事。越三年起復。仍補選司。生亦以年深應選。揀授一官。不數日。生丁母憂。房師憐其命蹇。乃薦之撫軍。爲西席。三載可望千金。未閱月。撫軍竟以事去。生憤恨成疾死。

父母飮恨

康熙甲辰會試。四川舉人楊某者。寓四川營石芝庵。場事既竣。候榜於京師。一夕。與諸同年飮。偶出。忽仆地。衆舁入室。移時始甦。叩之。云。「甫出戶。見二卒強之行。至一公府。有王者南向坐。梓潼帝君坐其側。頃之有吏引楊父母至。王者向云。「今年汝子莱合中進士。汝願之否。其父拜謝。」母獨曰：「不願也。」王者叩其故。母答曰：「此子不孝。昔避寇亂入山。距城甚遠。主一親故。主人館餐甚厚。因令子暫歸視家室。適部檄至。催謁選。縣令强之。遂赴都中。途得病而返。迨子入山。而身已死。含斂皆主人經理之。至今飲恨泉下。故不願也。」帝君顧吏取簿籍檢之。良久語王者曰：「以高某代楊可也。」榜發則梁山高某應選。

路人視親

桐鄉某生。幼聰慧。祖母最溺愛。稍不遂意。輒嫚罵祖母及父母。初不之較也。及長。惟婦言是用。視父母如路人。乾隆乙酉科入闈。文甚得意。房官烏程黃令首薦。主司曹公已取中。旁若有人云。「此不孝人不可中」遂棄之。榜後召生語其故。書格言贈曰：「學者先心術後文藝。如孝弟有虧。雖才高班馬。安望功名。」生見之涕泣。追悔。未一年嘔血死。

淩虐寡嫂

秦簪園名大成。與其中表某赴會試。夜夢至文昌宮中。適關帝至。問今歲狀元何人。文昌以某對。忽見一婦人跪帝前云。「某爲我夫弟。夫死。某淩虐備至。憂鬱致死。文昌曰：「此人短行。奚可大魁天下。特上帝選才甚難。殿試已近。誰可易者。」關帝曰：「查後科何人易之。申奏未遲。」有一吏捧册跪進。文昌曰：「今歲且以秦大成爲狀元。惜功名豫得。未免減算耳。」是科秦果第一。某落第。未幾死。簪園主講平江書院。每舉以爲諸生戒。

荒淫者戒

吳郡諸生。管靜山名英者。工於詩文。有聲庠序。惟性頗放誕。喜爲挾邪游。嘉慶丙子科。往金陵鄉試。三場甫畢。即顛倒於秦淮妓館。及得病始歸。病革時。慨然曰「管英不中。無以爲能文者勸。管英不死。無以爲荒淫者戒」越日報中人果至。又一日乃絕。朱酉生謂此非靜山所自言。乃鬼神憑之而言也。慧業文人。可以知所擇矣。

悔無及矣

清乾隆戊子。楚北鄉試。有士子某入闈。忽見亡妻坐號舍中。大驚趨避他號。妻復往焉。如是者三。不禁狂呼。官詰其故。以病發辭。乃扶出。衆詢其無病狀。怪而問之。士悵然曰「此固由余薄幸。亦緣窗友某媒孽所致今悔無及矣』衆詢所以曰「友與余少相謔謂余妻不貞於母室余信而欲出之妻憤極自縊未幾友見亡妻索命歿今復見祟寃孽相尋不可解矣』遂絕意場屋以諸生老

妻忿而縊

江南王孝廉晉原博學能文爲南中名宿雍正癸卯發解後終身不赴禮闈人疑而詰之曰「余少時與妻不睦妻忿而自縊嗣後入闈至夜分輒出相擾卷幅非墨汚卽燭燬每試皆然不能終場及癸卯春加意揣摩練熟文機入闈日將夕眞草俱畢復恐其擾取乃藏束衣內危坐以俟夜分妻至覓卷不可得』嘻笑曰「爾誠狡矣然今科應中亦爾命也但一之爲甚勿庸再涉妄想明春俟於黃河岸側斷不容爾北上』忿忿而去遂絕意進取終老於

家。

寃孽相尋

荆郡諸生某赴省試。宿逆旅。前夕。主人夢女子持桂花一枝。立客舍中。明日生適至。以爲蟾宮預兆。殷勤備至。生詢知其故。色頓變。即束裝。主人挽留之。竟去。蓋生有婢名桂花。遭其撻死。知寃孽相尋。必爲祟場屋。決計歸。終身不與試。

碎磁刺喉

長沙吳志南。博古能文。尤精刀筆。家貧屢困場屋。遂就幕席。人爭延之。家漸裕。雍正壬子闈中。文頗得意。將出號門。忽作失驚狀。取磁碗擲破。持犀利者。刺喉。鮮血淋漓。仆地而死。人皆謂其刀筆害人之狀也。

解帶自經

蔡生江左名士也。公車入都。館滿洲某氏家。主人故。惟主母撫一子一女。家有老僕。已歷三世。會主母將嫁女。使僕徵田租。僅獲八十金。計不敷用。仍令收貯。僕以身常出外。恐有失悞。因攜入館中。以情告蔡。乞代爲收貯。蔡納之箱中。曰：「寄此無妨也。」僕謝而去。又半月。徵得餘金。復命主母。索前項。僕往取。蔡不承。曰：「汝那得有銀存我處。」僕笑曰：「師爺毋戲言相嚇。幸見付。」蔡怒曰：「何物老奴。敢來誣我。我爲汝家教子弟。豈爲汝作看財奴耶。」僕大驚。爭辨不已。蔡聲色俱厲。即欲解館。主母因疑僕。立門外慰蔡曰：「先生息怒。吾當責此叛奴。」呼僕入。痛責索償。僕無以自明。但批頰自罵。夜遂縊。次年蔡入闈。精神恍惚。下帷秉燭。親筆備錄。其事自述。昧心滅理。罪不可逭。解帶自經。此人知覺體已冰矣。
其自供辭衆爭錄之以爲文人無行者戒。

爲惡不悛

李登魁鄉薦。屢上公車不第。聞葉靖法師有道行。往叩之。師即上章。叩文昌帝君。帝君使吏查籍。李登生時。賜玉印十八魁鄉薦十九。作狀元五十三。拜右相。緣得舉後。窺鄰女張燕娘事。雖未諧而縶其父張澄于獄。以此罪。展十年。繼侵奪兄李豐屋基。至形于訟。以此罪又展十年。後長安邸中。淫良家婦鄭氏。恐爲其夫知覺。先陷以罪。坐此。竟削其祿籍。近又挑一室女王慶娘。上帝怒其爲惡不悛。已除其壽算矣。何望登第。師悉以告登。登大慚悔恨而死。

墮卷妒人

康熙丁酉。淮安兩生。一姓徐名儁。爲人謹厚。一姓劉名起。頗狡滑。皆有文名。平素交好。同寓應試。至入場同號。兩人喜曰：「可互相檢察矣。」劉見徐卷勝己。妒心忽起。持卷入人叢中。故意墮地。因紿徐曰：「已失之矣。」徐泣而尋之。傍有一吏。不知何來。出袖中。還之。是科徐中式。劉下第。

黜陟靡定

弘治辛酉。山西和順縣一糧戶。上糧完。赴布政司取通關。忽見縣尹至省南門。撤儀從。止一青衣牽馬。謂糧戶曰：「汝且隨我入會議府一觀。」因隨之。繼而一省府州縣正官皆集。遂入府見一尊官在上。府州縣以次列坐。茶畢。俄有符史齎文書一通。置案上曰：「天降山西新舉人榜至。」既開榜。旁有一官唱名曰：第一名李翰臣。大同府學生。大同府縣皆起應曰：「其人孝友。多行方便。」至第六名陳桂和順縣應曰：「其人事繼母能孝。」至四十九名縣官應曰：「其人不孝且逐其弟爲人傭。」尊官舉筆抹之以下復報某人得某罪凡數名。尊官抹之如前。唱名畢。諭衆官各舉所知。衆舉凡二十五人。尊官擇九人。呼寫本者速寫。訖復諭符使曰：「月內二十五日進場。速去勿誤事。」糧戶一一記之。次日領通關回。至盤陀驛遇陳桂曰：「公今年中第六矣。」桂不信。因述其事。及揭榜。果然。其餘皆驗。

國家圖書館出版品預行編目資料

考試佳話／（清）陳鏡伊編
-- 初版 .-- 臺北市：
世界，2015.08
面；公分．　--（道德叢書；9）

ISBN　978-957-06-0535-8（平裝）
1. 科舉　2. 通俗作品

199.08　　　　104014620

世界書號：A610-2167

道德叢書之九
考試佳話

作　　者／（清）陳鏡伊編
發 行 人／閻　初
發 行 者／世界書局股份有限公司
登 記 證／行政院新聞局局版臺業字第〇九三一號
地　　址／臺北市重慶南路一段九十九號
電　　話／（〇二）二三三一一一三八三四
傳　　真／（〇二）二三三一一一七九六三
網　　址／www.worldbook.com.tw
劃撥帳號／〇〇〇五八四三七　世界書局
出版日期／二〇一五年八月初版一刷
定　　價／台幣一三〇元
道德叢書全套十四冊，定價二四〇〇元